1 点描写

分　秒

Q 左の図と右の図が同じになるように，点を結びなさい。

(1)

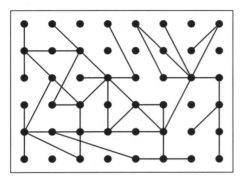 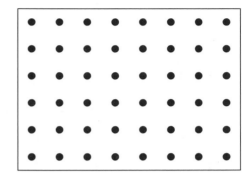

(2)

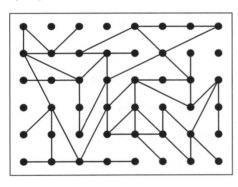 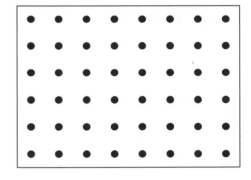

(3)

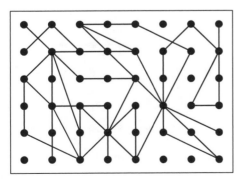 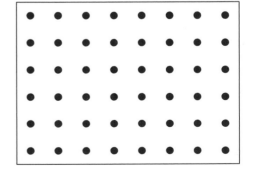

 図形イメージを強化する「基盤トレーニング」です。位置や形を丁寧にかくことを意識しましょう。
線が曲がったり，はみ出したりしないように注意しながら，丁寧に，速くできるように練習しましょう。

2 点描写選択

Q お手本と同じ図を１～３の中から１つだけさがして，番号で答えましょう。

（お手本）

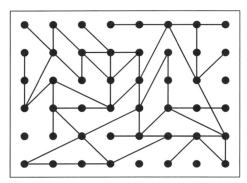

1.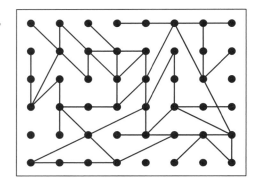

2.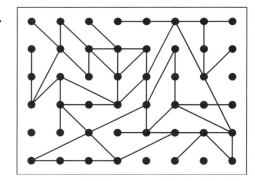

3.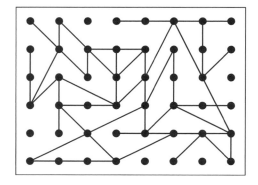

 図形イメージを強化する「基盤トレーニング」です。

〔　　月　　日〕

3 　紙切り

目標時間は5分

分　　　秒

Q 正方形の紙を，図のように点線を折り目にして折りました。この紙から斜線の部分を切り落として，残った部分を広げると，どのような図形になりますか。答えのところに，切り落とした部分を斜線にしてかき入れなさい。

（1）

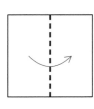

（答え）

（2）

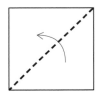

（答え）

（3）

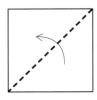   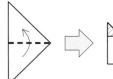

（答え）

（4）

（答え）

 図形イメージのうち，「平面図形」に関する感覚を育成します。この分野は「対称」イメージを強化します。理解が難しい場合は折り紙などを使用し，実際にどうなるかを試しながら，実物練習とイメージ練習を相互に強化しましょう。

4 回転図

Q 左の図を, まん中の黒点のところにはりをさして, （1）と
（3）は右に 90 度, （2）と（4）は 180 度回転させた図を,
右の図にかきましょう。

（1）　右に 90 度回転　　　（2）　180 度回転

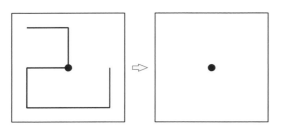
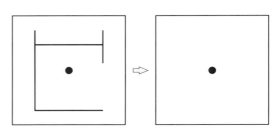

（3）　右に 90 度回転　　　（4）　180 度回転

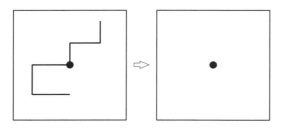
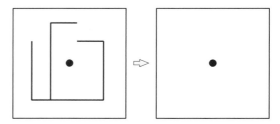

図形イメージのうち,「平面図形」に関する感覚を育成します。この分野は「回転」イメージを強化します。
中心と図形の関係をとらえながら回転後のイメージ描写を練習します。難しい場合は実際に回転させて確認
しましょう。

5 タ イ ル

目標時間は5分
分　　秒

Q 例題を参考にして，答えを求めなさい。

（例題）　斜線で表された図形の広さは，タイル何枚分ですか。

（考え方の例と解答）

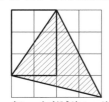 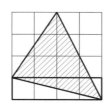 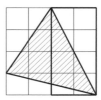

6枚の長方形の半分
なので3枚分。
＋
4枚の長方形の半分
なので2枚分。
＋
8枚の長方形の半分
なので4枚分。

3 ＋ 2 ＋ 4 ＝ 9枚分

全体は16枚なので，

16 － 9 ＝ 7枚分　　　答え　　7枚分

（1）

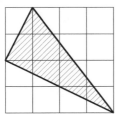

☐ 枚分

（2）

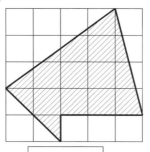

☐ 枚分

（3）

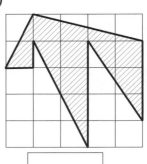

☐ 枚分

図形イメージのうち，「平面図形」と「数量」に関する感覚を育成します。三角形が四角形の半分であることを確認しましょう。例はわり算で示していますが，三角形と四角形の関係に気づくと，より図形の理解が深まり，図形構成がイメージしやすくなります。

6 タ イ ル Ⅱ

目標時間は5分

分　　秒

Q 点線の四角形を，お手本の形にあまりなく分けなさい。
（向きは変わってもかまいません。）

（1）（お手本）

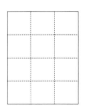

（2）（お手本）

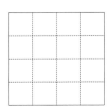

（3）（お手本）

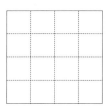

（4）（お手本）

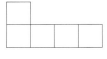

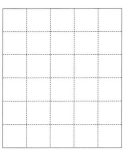

（5）（お手本）

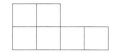

（6）（お手本）

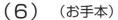

図形イメージのうち，「平面図形」に関する感覚を育成します。この分野は「図形の構成」イメージを強化します。図形を回転させたり合成させることで，異なる図形を作成します。複数パターンを考えることもできます。

7 投影図
とう えい ず

目標時間は5分

分 秒

Q 左の立体は，サイコロの形の立体を積み上げてつくったものです。矢印の方向から見て真上から見たときと，正面から見たときの形をかきなさい。

（1）

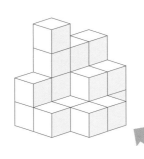

真上

正面

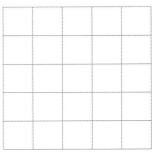

（2）

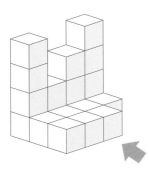

真上

正面

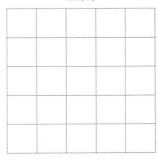

図形イメージのうち，「立体図形」に関する感覚を育成します。様々な角度から図形をイメージする練習です。立体図形を指定された方向から見て，平面図形で表すトレーニングです。難しい場合は積み木などを使ってその方向から確認しましょう。

〔　　月　　日〕

8 見取図

Q お手本と同じ見取図を，できるだけきれいに
写しましょう。（定規は使いません。）

（お手本）	見取図	（お手本）	見取図

図形イメージのうち，「立体図形」に関する感覚を育成します。なぞりながら，立体図形の全体像をイメージします。問題のプリントを回転させずに取り組んでください。はみださないように，正確になぞりましょう。

9 積み木

Q 積み木をならべます。それぞれ積み木は何個ありますか。
（複雑な形は，頭の中でかぞえやすい形に移動してから
かぞえましょう。）

（1）
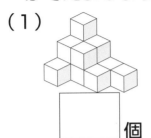
□ 個

（2）
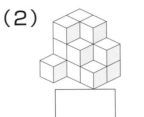
□ 個

（3）
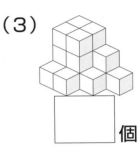
□ 個

（4）
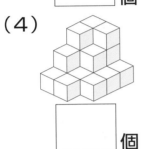
□ 個

（5）
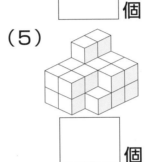
□ 個

（6）
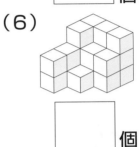
□ 個

（7）
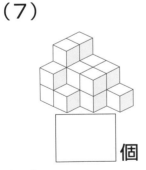
□ 個

（8）
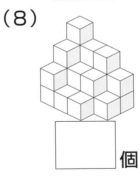
□ 個

（9）
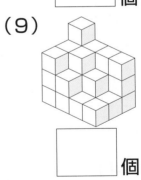
□ 個

（10）
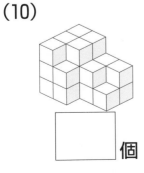
□ 個

（11）
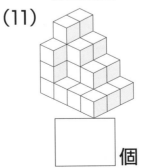
□ 個

（12）
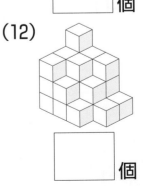
□ 個

図形イメージのうち，「立体図形」に関する感覚を育成します。積み木の数を数える練習です。積み木を正確に数えることは立体図形を正しくイメージできていると言えます。また，数えやすい形などに工夫をすると一層強化されます。

10 展開図

Q 自分が矢印の方向を向いて立っているとします。

そしてそのまま，まわりの面が動いて箱の中に閉じこめられる状態になったとき，それぞれの面がどこに来るかを考え，下の図のようにかきこみなさい。

頭の中で考えられない人は，はさみで切って実際にやってみましょう。

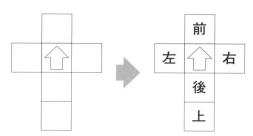

(1)

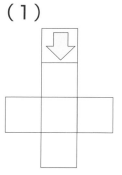

(2)

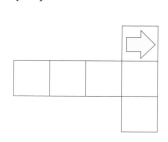

(3)

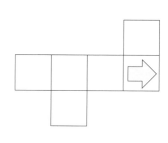

(4)

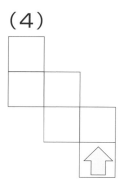

(5)

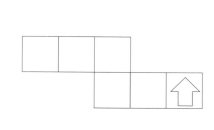

(6)

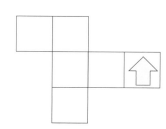

図形イメージのうち，「立体図形」に関する感覚を育成します。展開図は立体図形を組み立てる能力を鍛えます。それぞれの位置を確認しながら，組み立てるとどうなるか，実際の展開図を使って確認するとイメージを強化することができます。

11 サイコロころころ

Q 向かい合う面の和が7のサイコロを,
図のような位置から道にそって転がしていくと,
斜線の位置ではサイコロの上の面の数はいくつですか。

(1)

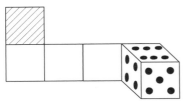

(2)

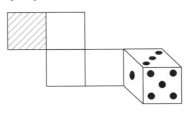

(3)

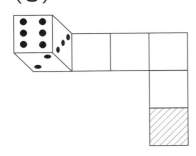

(4)

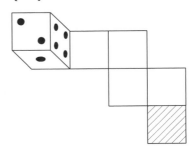

 図形イメージのうち,「立体図形」に関する感覚を育成します。この分野は「立体回転」イメージを強化します。
立体図形の回転は高度なイメージが必要ですが, 回転する様子を分析するための基本になります。難しい場
合は実物で研究しましょう。

12 穴あけ

Q 27個の小さい立方体を積み重ねて，大きい立方体をつくり，この大きい立方体に向かい側までつき抜ける穴を黒丸の位置からあけることにします。
このとき，穴があいた小さい立方体は何個できますか。

（1）

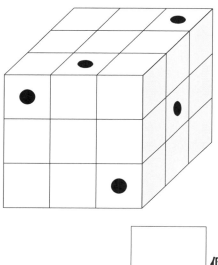

個

（2）

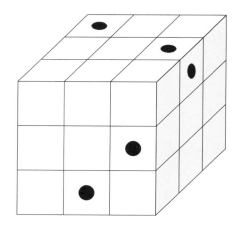

個

13 点描写
てん びょう しゃ

目標時間は1分30秒

分　　秒

Q 左の図と右の図が同じになるように，点を結びなさい。
ひだり ず みぎ ず おな てん むす

（1）

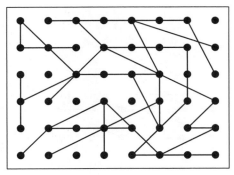 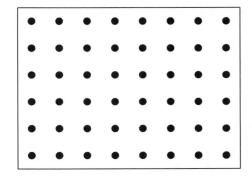

（2）

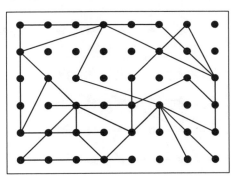 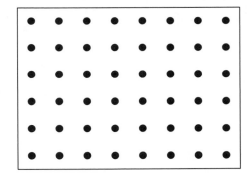

（3）

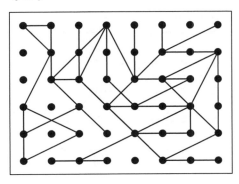 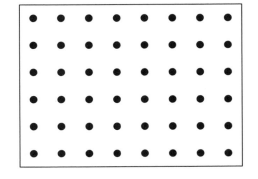

図形イメージを強化する「基盤トレーニング」です。位置や形を丁寧にかくことを意識しましょう。
線が曲がったり，はみ出したりしないように注意しながら，丁寧に，速くできるように練習しましょう。

14 点描写選択

目標時間は30秒

分 秒

Q お手本と同じ図を1〜3の中から1つだけさがして，番号で答えましょう。

（お手本）

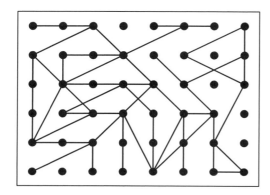

1.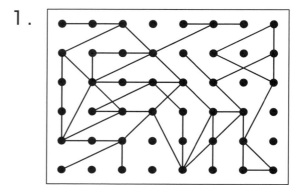

2.

3.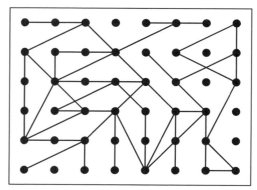

図形イメージを強化する「基盤トレーニング」です。

15 紙切り

Q 正方形の紙を，図のように点線を折り目にして折りました。この紙から斜線の部分を切り落として，残った部分を広げると，どのような図形になりますか。答えのところに，切り落とした部分を斜線にしてかき入れなさい。

（1）

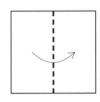 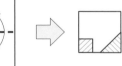

（答え）

（2）

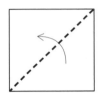

（答え）

（3）

    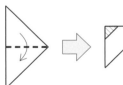

（答え）

（4）

（答え）

 図形イメージのうち，「平面図形」に関する感覚を育成します。この分野は「対称」イメージを強化します。理解が難しい場合は折り紙などを使用し，実際にどうなるかを試しながら，実物練習とイメージ練習を相互に強化しましょう。

16 回転図

目標時間は5分

分　　秒

Q 左の図を，まん中の黒点のところにはりをさして，（1）と（3）は右に90度，（2）と（4）は180度回転させた図を，右の図にかきましょう。

（1）右に90度回転

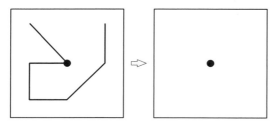

（2）180度回転

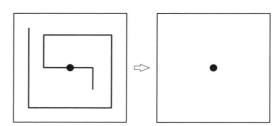

（3）右に90度回転

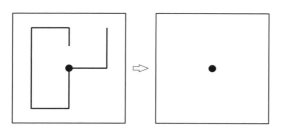

（4）180度回転

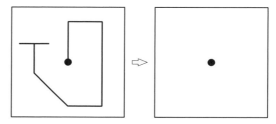

図形イメージのうち，「平面図形」に関する感覚を育成します。この分野は「回転」イメージを強化します。中心と図形の関係をとらえながら回転後のイメージ描写を練習します。難しい場合は実際に回転させて確認しましょう。

17 タ イ ル

Q 例題を参考にして，答えを求めなさい。

（例題）　斜線で表された図形の広さは，タイル何枚分ですか。

（考え方の例と解答）

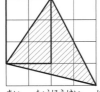 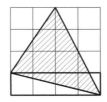 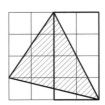

6枚の長方形の半分
なので3枚分。　　＋　　4枚の長方形の半分
なので2枚分。　　＋　　8枚の長方形の半分
なので4枚分。

3 ＋ 2 ＋ 4 ＝ 9枚分 ◀──────

全体は 16 枚なので，

16 － 9 ＝ 7枚分　　　答え　　7枚分

（1）

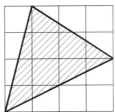

□ 枚分

（2）

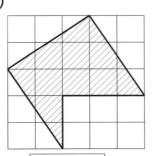

□ 枚分

（3）

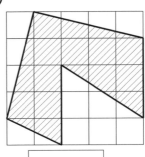

□ 枚分

 図形イメージのうち，「平面図形」と「数量」に関する感覚を育成します。三角形が四角形の半分であることを確認しましょう。例はわり算で示していますが，三角形と四角形の関係に気づくと，より図形の理解が深まり，図形構成がイメージしやすくなります。

18 タ イ ル Ⅱ

Q 点線の四角形を，お手本の形にあまりなく分けなさい。
（向きは変わってもかまいません。）

（1）（お手本）

（2）（お手本）

（3）（お手本）

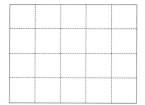

（4）（お手本）

（5）（お手本）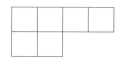

（6）（お手本）

図形イメージのうち，「平面図形」に関する感覚を育成します。この分野は「図形の構成」イメージを強化します。
図形を回転させたり合成させることで，異なる図形を作成します。複数パターンを考えることもできます。

19 投影図

Q 左の立体は，サイコロの形の立体を積み上げてつくったものです。矢印の方向から見て真上から見たときと，正面から見たときの形をかきなさい。

（1）

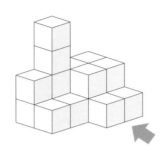

真上

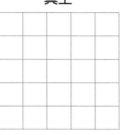

正面

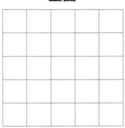

（2）

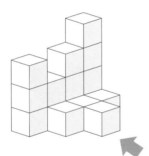

真上

正面

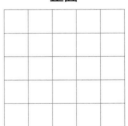

図形イメージのうち，「立体図形」に関する感覚を育成します。様々な角度から図形をイメージする練習です。立体図形を指定された方向から見て，平面図形で表すトレーニングです。難しい場合は積み木などを使ってその方向から確認しましょう。

〔 　月　　日〕

20 見取図

目標時間は5分

分　　　秒

Q お手本と同じ見取図を，できるだけきれいに
写しましょう。（定規は使いません。）

見取図	（お手本）	見取図	（お手本）

 図形イメージのうち，「立体図形」に関する感覚を育成します。なぞりながら，立体図形の全体像をイメージします。問題のプリントを回転させずに取り組んでください。はみださないように，正確になぞりましょう。

〔　月　日〕

21 積み木

目標時間は5分

分　　秒

Q 積み木をならべます。それぞれ積み木は何個ありますか。
（複雑な形は，頭の中でかぞえやすい形に移動してから
かぞえましょう。）

(1)
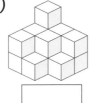

▢ 個

(2)
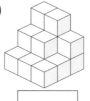

▢ 個

(3)

▢ 個

(4)
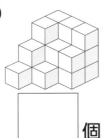

▢ 個

(5)
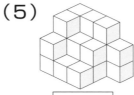

▢ 個

(6)
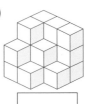

▢ 個

(7)
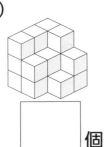

▢ 個

(8)
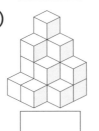

▢ 個

(9)
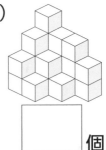

▢ 個

(10)
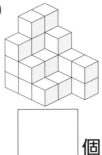

▢ 個

(11)
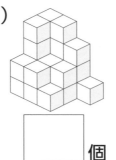

▢ 個

(12)
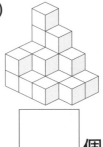

▢ 個

図形イメージのうち，「立体図形」に関する感覚を育成します。積み木の数を数える練習です。積み木を正確に数えることは立体図形を正しくイメージできていると言えます。また，数えやすい形などに工夫をすると一層強化されます。

〔　月　日〕

22 展開図

目標時間は5分

分　　秒

Q 自分が矢印の方向を向いて立っているとします。
そしてそのまま，まわりの面が動いて箱の中に閉じこめられる状態になったとき，それぞれの面がどこに来るかを考え，下の図のようにかきこみなさい。
頭の中で考えられない人は，はさみで切って実際にやってみましょう。

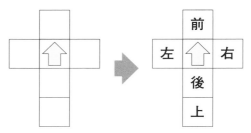

（1）

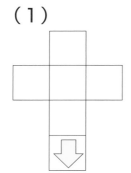

（2）

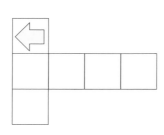

（3）

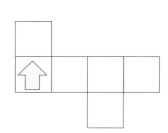

（4）

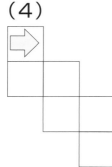

（5）

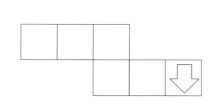

（6）

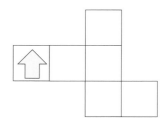

 図形イメージのうち，「立体図形」に関する感覚を育成します。展開図は立体図形を組み立てる能力を鍛えます。それぞれの位置を確認しながら，組み立てるとどうなるか，実際の展開図を使って確認するとイメージを強化することができます。

〔　　月　　日〕

23 サイコロころころ

目標時間は5分

分　　秒

Q 向かい合う面の和が7のサイコロを,
図のような位置から道にそって転がしていくと,
斜線の位置ではサイコロの上の面の数はいくつですか。

（1）

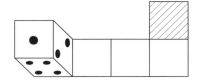

（2）

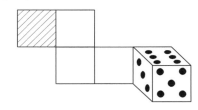

（3）

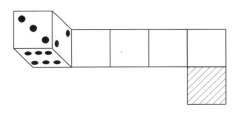

（4）

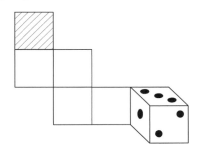

図形イメージのうち,「立体図形」に関する感覚を育成します。この分野は「立体回転」イメージを強化します。
立体図形の回転は高度なイメージが必要ですが, 回転する様子を分析するための基本になります。難しい場
合は実物で研究しましょう。

24 穴あけ

Q 27個の小さい立方体を積み重ねて，大きい立方体をつくり，この大きい立方体に向かい側までつき抜ける穴を黒丸の位置からあけることにします。
このとき，穴があいた小さい立方体は何個できますか。

（1）

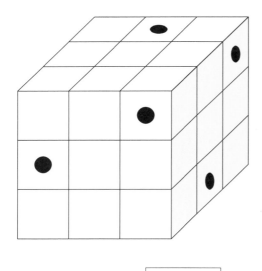

□ 個

（2）

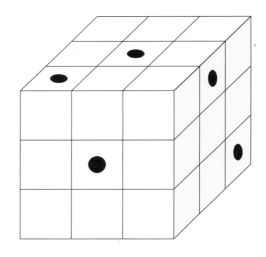

□ 個

図形イメージのうち，「立体図形」に関する感覚を育成します。この分野は「分解」イメージを強化します。
それぞれの積み木を分解し，図形の構成を見極め条件整理をします。じっくりイメージし粘り強く考えましょう。

〔　　月　　日〕

25 点描写

目標時間は1分30秒

分　　秒

Q 左の図と右の図が同じになるように，点を結びなさい。

（1）

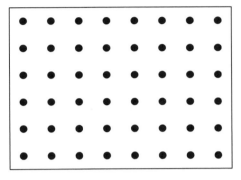 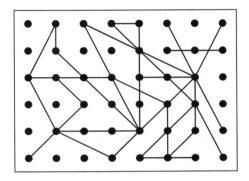

（2）

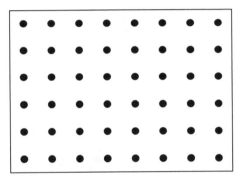 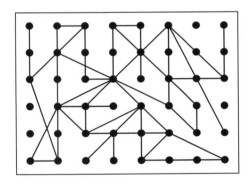

（3）

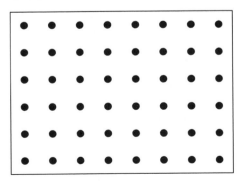 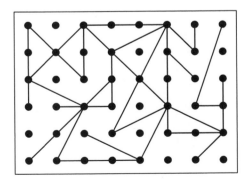

 図形イメージを強化する「基盤トレーニング」です。位置や形を丁寧にかくことを意識しましょう。線が曲がったり，はみ出したりしないように注意しながら，丁寧に，速くできるように練習しましょう。

〔　　月　　日〕

26 点描写選択

目標時間は30秒

分　　秒

Q お手本と同じ図を1〜3の中から1つだけさがして、番号で答えましょう。

（お手本）

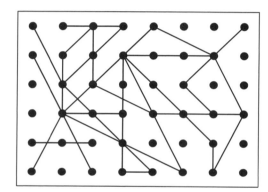

1.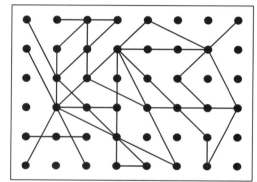

2.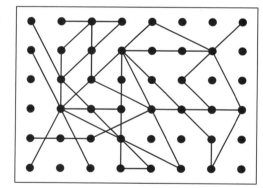

3.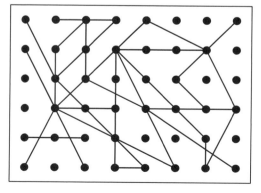

 図形イメージを強化する「基盤トレーニング」です。

27 回転点描写選択

かいてんてんびょうしゃせんたく

〔　月　日〕

目標時間は30秒

分　　秒

Q お手本を 180 度回転させた図を 1～3 の中から 1 つだけさがして、番号で答えましょう。

（お手本）

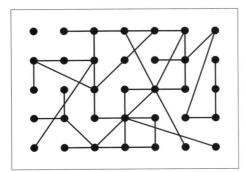

1.

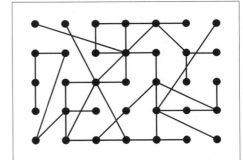

2.

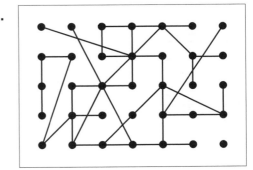

3.

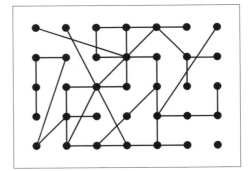

 図形イメージを強化する「基盤トレーニング」です。

28 紙切り

Q 正方形の紙を，図のように点線を折り目にして折りました。この紙から斜線の部分を切り落として，残った部分を広げると，どのような図形になりますか。答えのところに，切り落とした部分を斜線にしてかき入れなさい。

（1）

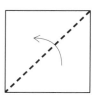   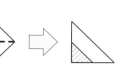

（答え）

（2）

    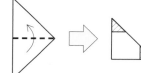

（答え）

（3）

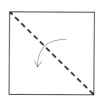   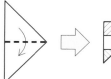

（答え）

（4）

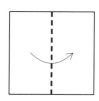

（答え）

 図形イメージのうち，「平面図形」に関する感覚を育成します。この分野は「対称」イメージを強化します。理解が難しい場合は折り紙などを使用し，実際にどうなるかを試しながら，実物練習とイメージ練習を相互に強化しましょう。

〔 月 日〕

29 紙切りⅡ

目標時間は5分

分 秒

Q 次の図のように，正八角形の紙を点線で矢印の方向に3回折りたたみ，できあがった三角形の紙の斜線の部分を切り取ったあと，残った紙を広げたときの形として，正しいものを番号で答えましょう。

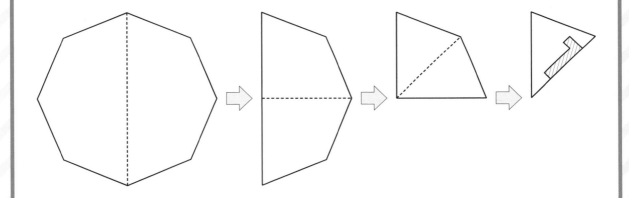

1.　　　　2.　　　　3.　　　　4.　　　　5.

     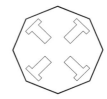

 図形イメージのうち，「平面図形」に関する感覚を育成します。この分野は「対称」イメージを強化します。理解が難しい場合は折り紙などを使用し，実際にどうなるかを試しながら，実物練習とイメージ練習を相互に強化しましょう。

30 回転図
かい てん ず

目標時間は5分

分 秒

Q 左の図を，まん中の黒点のところにはりをさして，（1）と
（3）は180度，（2）と（4）は右に90度回転させた図を，
右の図にかきましょう。

（1） 180度回転

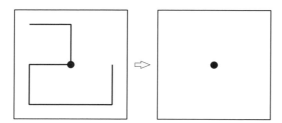

（2） 右に90度回転

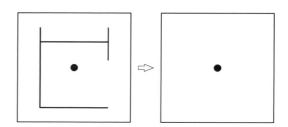

（3） 180度回転

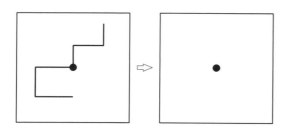

（4） 右に90度回転

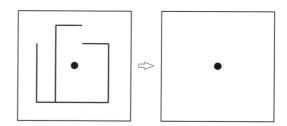

図形イメージのうち，「平面図形」に関する感覚を育成します。この分野は「回転」イメージを強化します。
中心と図形の関係をとらえながら回転後のイメージ描写を練習します。難しい場合は実際に回転させて確認
しましょう。

31 タ イ ル

Q 斜線で表された図形の広さは，タイル何枚分ですか。『三角形の面積の公式』を利用しないで求めましょう。

（1）
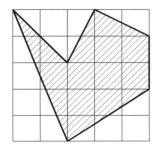

□ 枚分

（2）
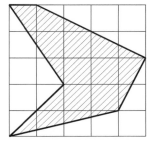

□ 枚分

（3）
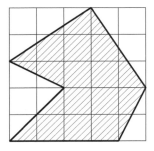

□ 枚分

（4）
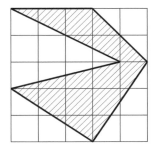

□ 枚分

図形イメージのうち，「平面図形」と「数量」に関する感覚を育成します。三角形が四角形の半分であることを確認しましょう。三角形と四角形の関係に気づくと，より図形の理解が深まり，図形構成がイメージしやすくなります。

32 投影図

目標時間は5分

分　　秒

Q 左の立体は，サイコロの形の立体を積み上げてつくったものです。矢印の方向から見て真上から見たときと，正面から見たときの形をかきなさい。

(1)

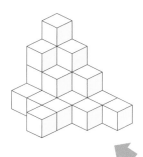

真上

正面

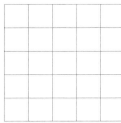

(2)

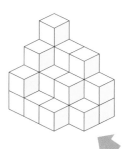

真上

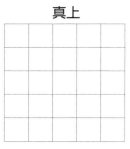

正面

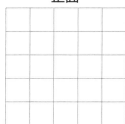

図形イメージのうち，「立体図形」に関する感覚を育成します。様々な角度から図形をイメージする練習です。立体図形を指定された方向から見て，平面図形で表すトレーニングです。難しい場合は積み木などを使ってその方向から確認しましょう。

33 積み木

Q 積み木をならべます。それぞれ積み木は何個ありますか。
（複雑な形は，頭の中でかぞえやすい形に移動してから
かぞえましょう。）

(1)
□ 個

(2)
□ 個

(3)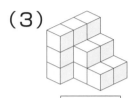
□ 個

(4)
□ 個

(5)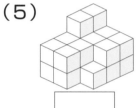
□ 個

(6)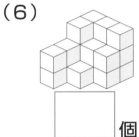
□ 個

(7)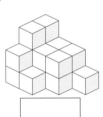
□ 個

(8)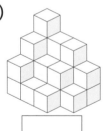
□ 個

(9)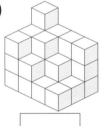
□ 個

(10)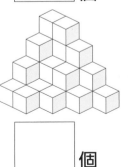
□ 個

(11)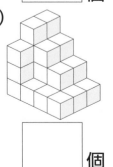
□ 個

(12)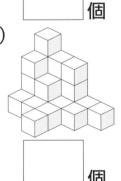
□ 個

図形イメージのうち，「立体図形」に関する感覚を育成します。積み木の数を数える練習です。積み木を正確に数えることは立体図形を正しくイメージできていると言えます。また，数えやすい形などに工夫をすると一層強化されます。

34 展開図

目標時間は5分

分　　秒

Q 下の図のようなサイコロがあります。正しい展開図は，次の
うちどれですか。番号で答えましょう。

（1）

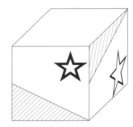

1.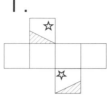

2.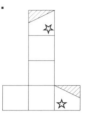

3.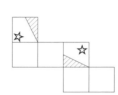

4.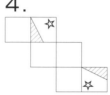

5.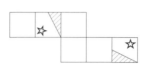

（2）

1.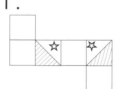

2.

3.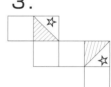

4.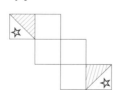

5.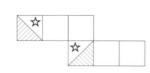

図形イメージのうち，「立体図形」に関する感覚を育成します。展開図は立体図形を組み立てる能力を鍛え
ます。それぞれの位置を確認しながら，組み立てるとどうなるか，実際の展開図を使って確認するとイメー
ジを強化することができます。

35 正八面体
せい はち めん たい

目標時間は5分

分 秒

Q 図2は，図1の正八面体の展開図です。図1の面に書いてある「2」「3」の数字を数字の向きに注目して，図2の正しい位置に書き入れなさい。

図1

図2

(1)

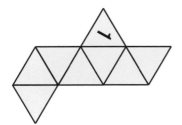

(2)

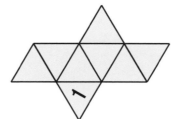

(3)

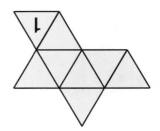

 図形イメージのうち，「立体図形」に関する感覚を育成します。正八面体も展開図と同様，立体図形を組み立てる能力を鍛えます。図形の位置と構成を確認しながら，組み立てるとどうなるか，実際の展開図を使って確認するとイメージを強化することができます。

〔　月　日〕

36 サイコロころころ

目標時間は5分

分　　秒

Q 向かい合う面の和が7のサイコロを,
図のような位置から道にそって転がしていくと,
斜線の位置ではサイコロの上の面の数はいくつですか。

(1)

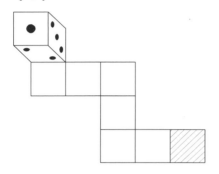

(2)

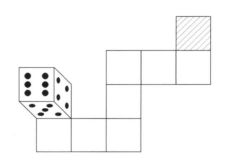

(3)

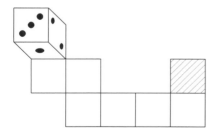

(4)

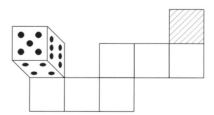

図形イメージのうち,「立体図形」に関する感覚を育成します。この分野は「立体回転」イメージを強化します。
立体図形の回転は高度なイメージが必要ですが, 回転する様子を分析するための基本になります。難しい場
合は実物で研究しましょう。

37 穴あけ

〔　　月　　日〕

目標時間は5分

分　　秒

Q 64個の小さい立方体を積み重ねて，大きい立方体をつくり，この大きい立方体に向かい側までつき抜ける穴を黒丸の位置からあけることにします。
このとき，穴があいた小さい立方体は何個できますか。

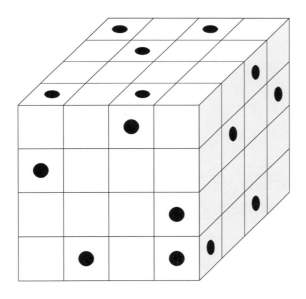

個

〔　　月　　日〕

38 回転体

目標時間は5分

分　　秒

Q 右の図は，ある平面図形を回転軸の周りに回転させてできた立体です。この平面図形として正しいのは，次のうちどれですか。ただし，図形上の直線は，回転軸を表しています。

（1）

1.
2.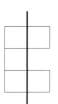
3.
4.
5.

Q 右の図は，ある平面図形を回転軸の周りに回転させてできた立体です。この平面図形として正しいのは，次のうちどれですか。ただし，図形上の直線は，回転軸を表しています。

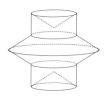

（2）

1.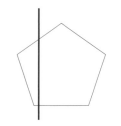
2.
3.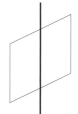
4.
5.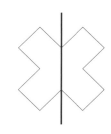

 図形イメージのうち，「立体図形」に関する感覚を育成します。平面図形を指定された軸で回転させイメージする練習です。図形の軌跡を正確にとらえながら，全体がどうなるかを考えましょう。解答となる図形以外もイメージできるようにしましょう。

〔　　月　　日〕

39 切断基礎

目標時間は5分

分　　秒

Q 下の立方体の見取図の点線をなぞって完成させ，次に黒点(●)を通る平面で立方体を切断したときの切り口の図をかきこみなさい。また，切り口の図形の名前も答えなさい。

(1)

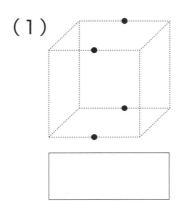

(2)

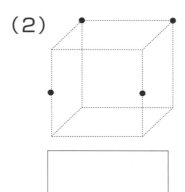

(3)

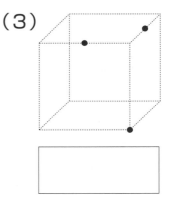

(4)

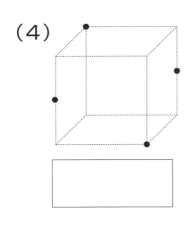

(5)

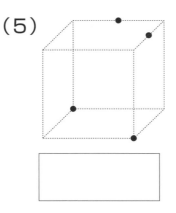

(6)

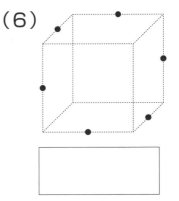

図形イメージのうち，「立体図形」に関する感覚を育成します。「切断」イメージを強化します。
立体を切断する前と，切断した後の2つの図形がイメージできるようになるとより高度なイメージができます。

40 点描写

目標時間は1分30秒

分　　秒

Q 左の図と右の図が同じになるように，点を結びなさい。

（1）

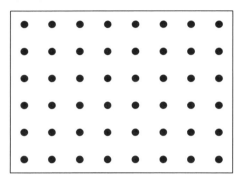 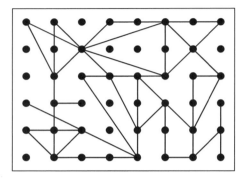

（2）

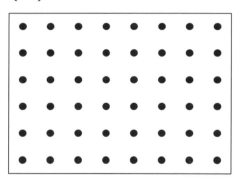 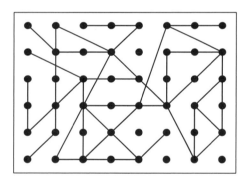

（3）

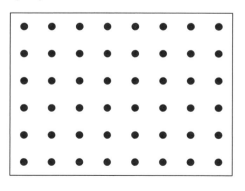 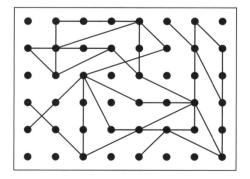

 図形イメージを強化する「基盤トレーニング」です。位置や形を丁寧にかくことを意識しましょう。
線が曲がったり，はみ出したりしないように注意しながら，丁寧に，速くできるように練習しましょう。

41 点描写選択

Q お手本と同じ図を1〜3の中から1つだけさがして、番号で答えましょう。

（お手本）

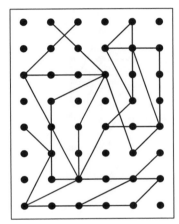

1.

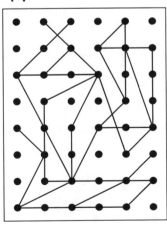

2.

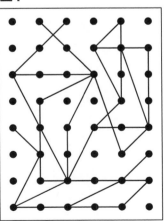

3.

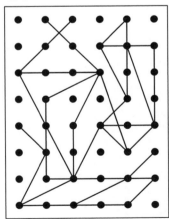

図形イメージを強化する「基盤トレーニング」です。

〔　　月　　日〕

42 回転点描写選択
かいてんてんびょうしゃせんたく

目標時間は30秒

分　　秒

Q お手本を 180 度回転させた図を 1 〜 3 の中からさ1つだけさがして，番号で答えましょう。

（お手本）

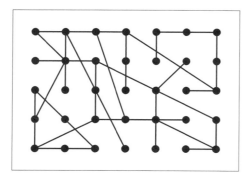

1.

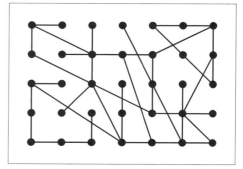

2.

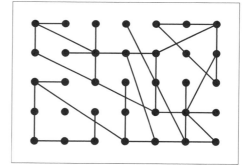

3.

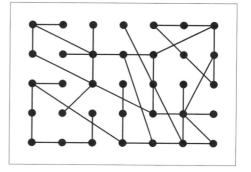

図形イメージを強化する「基盤トレーニング」です。

43 紙切り

Q 正方形の紙を，図のように点線を折り目にして折りました。この紙から斜線の部分を切り落として，残った部分を広げると，どのような図形になりますか。答えのところに，切り落とした部分を斜線にしてかき入れなさい。

（1）

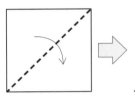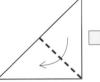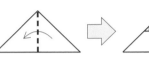

（答え）

（2）

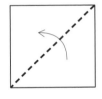

（答え）

（3）

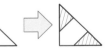

（答え）

（4）

（答え）

 図形イメージのうち，「平面図形」に関する感覚を育成します。この分野は「対称」イメージを強化します。理解が難しい場合は折り紙などを使用し，実際にどうなるかを試しながら，実物練習とイメージ練習を相互に強化しましょう。

44 紙切りⅡ

Q 次の図のように，正八角形の紙を点線で矢印の方向に3回折りたたみ，できあがった三角形の紙の斜線の部分を切り取ったあと，残った紙を広げたときの形として，正しいものを番号で答えましょう。

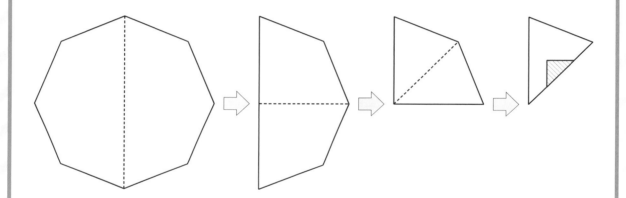

1.　　　　2.　　　　3.　　　　4.　　　　5.

　　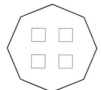　　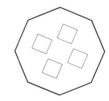

図形イメージのうち，「平面図形」に関する感覚を育成します。この分野は「対称」イメージを強化します。理解が難しい場合は折り紙などを使用し，実際にどうなるかを試しながら，実物練習とイメージ練習を相互に強化しましょう。

45 回転図

目標時間は5分

分　　　秒

Q 左の図を，まん中の黒点のところにはりをさして，（1）と
（3）は右に90度，（2）と（4）は180度回転させた図を，
右の図にかきましょう。

（1）　右に90度回転

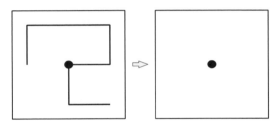

（2）　180度回転

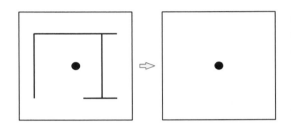

（3）　右に90度回転

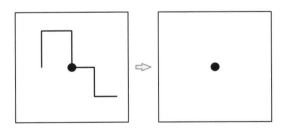

（4）　180度回転

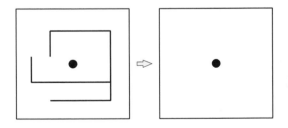

図形イメージのうち，「平面図形」に関する感覚を育成します。この分野は「回転」イメージを強化します。
中心と図形の関係をとらえながら回転後のイメージ描写を練習します。難しい場合は実際に回転させて確認
しましょう。

46 タ イ ル

Q 斜線で表された図形の広さは，タイル何枚分ですか。『三角形の面積の公式』を利用しないで求めましょう。

(1)

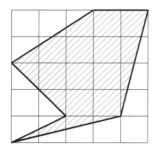

☐ 枚分

(2)

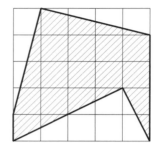

☐ 枚分

(3)

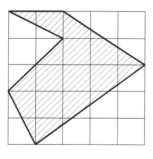

☐ 枚分

(4)

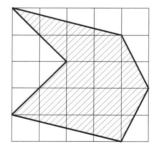

☐ 枚分

図形イメージのうち，「平面図形」と「数量」に関する感覚を育成します。三角形が四角形の半分であることを確認しましょう。三角形と四角形の関係に気づくと，より図形の理解が深まり，図形構成がイメージしやすくなります。

47 投影図

Q 左の立体は，サイコロの形の立体を積み上げてつくったものです。矢印の方向から見て真上から見たときと，正面から見たときの形をかきなさい。

（1）

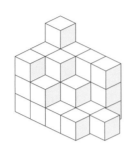

真上

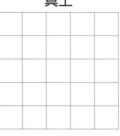

正面

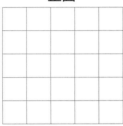

（2）

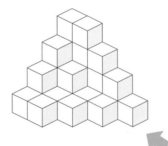

真上

正面

図形イメージのうち，「立体図形」に関する感覚を育成します。様々な角度から図形をイメージする練習です。立体図形を指定された方向から見て，平面図形で表すトレーニングです。難しい場合は積み木などを使ってその方向から確認しましょう。

〔　　月　　日〕

48 積み木

目標時間は5分

分　　秒

Q 積み木をならべます。それぞれ積み木は何個ありますか。
（複雑な形は，頭の中でかぞえやすい形に移動してから
かぞえましょう。）

(1)
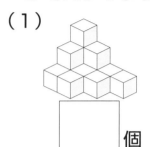
個

(2)
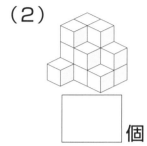
個

(3)
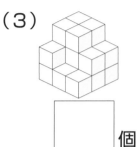
個

(4)
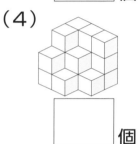
個

(5)
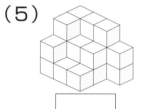
個

(6)
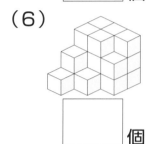
個

(7)
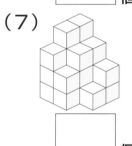
個

(8)
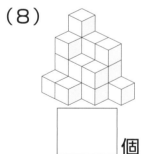
個

(9)
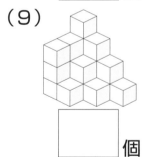
個

(10)
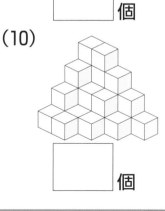
個

(11)
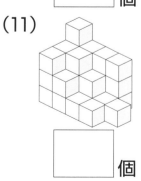
個

(12)
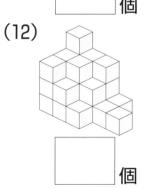
個

図形イメージのうち，「立体図形」に関する感覚を育成します。積み木の数を数える練習です。積み木を正確に数えることは立体図形を正しくイメージできていると言えます。また，数えやすい形などに工夫をすると一層強化されます。

〔　月　日〕

49 展開図

目標時間は5分

分　　秒

Q 下の図のようなサイコロがあります。正しい展開図は，次の
うちどれですか。番号で答えましょう。

(1)

1.

2.

3.

4.

5.

(2)

1.

2.

3.

4.

5.

図形イメージのうち，「立体図形」に関する感覚を育成します。展開図は立体図形を組み立てる能力を鍛えます。
それぞれの位置を確認しながら，組み立てるとどうなるか，実際の展開図を使って確認するとイメージを強
化することができます。

50 正八面体

目標時間は5分

分　　秒

Q 図2は，図1の正八面体の展開図です。図1の面に書いてある「2」「3」の数字を数字の向きに注目して，図2の正しい位置に書き入れなさい。

図1

図2

(1)

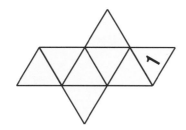

(2)

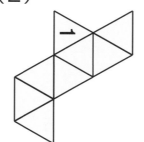

(3)

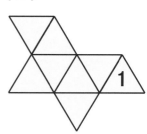

〔　　　月　　　日〕

51 サイコロころころ

目標時間は5分

分　　　秒

Q 向かい合う面の和が7のサイコロを,
図のような位置から道にそって転がしていくと,
斜線の位置ではサイコロの上の面の数はいくつですか。

（1）

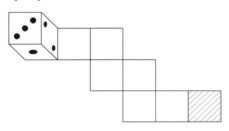

（2）

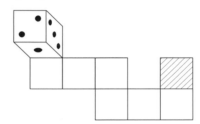

（3）

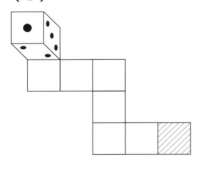

（4）

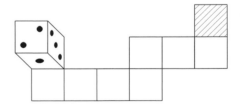

 図形イメージのうち,「立体図形」に関する感覚を育成します。この分野は「立体回転」イメージを強化します。
立体図形の回転は高度なイメージが必要ですが, 回転する様子を分析するための基本になります。難しい場
合は実物で研究しましょう。

〔　　月　　日〕

52 穴あけ

目標時間は5分

分　　　秒

Q 64個の小さい立方体を積み重ねて、大きい立方体をつくり、この大きい立方体に向かい側までつき抜ける穴を黒丸の位置からあけることにします。
このとき、穴があいた小さい立方体は何個できますか。

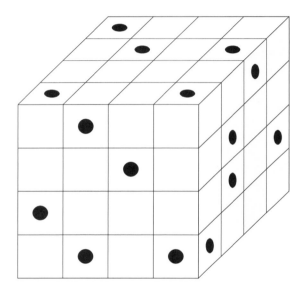

 個

 図形イメージのうち、「立体図形」に関する感覚を育成します。この分野は「分解」イメージを強化します。
それぞれの積み木を分解し、図形の構成を見極め条件整理をします。じっくりイメージし粘り強く考えましょう。

53 回転体

目標時間は5分

分　　秒

Q 右の図は，ある平面図形を回転軸の周りに回転させてできた立体です。この平面図形として正しいのは，次のうちどれですか。ただし，図形上の直線は，回転軸を表しています。

（1）

1.　　　　2.　　　　3.　　　　4.　　　　5.

　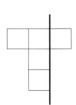　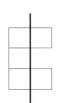　　

Q 右の図は，ある平面図形を回転軸の周りに回転させてできた立体です。この平面図形として正しいのは，次のうちどれですか。ただし，図形上の直線は，回転軸を表しています。

（2）

1.　　　　2.　　　　3.　　　　4.　　　　5.

　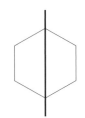　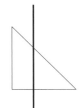　　

図形イメージのうち，「立体図形」に関する感覚を育成します。平面図形を指定された軸で回転させイメージする練習です。図形の軌跡を正確にとらえながら，全体がどうなるかを考えましょう。解答となる図形以外もイメージできるようにしましょう。

〔　　月　　日〕

54 切断基礎

目標時間は5分

分　　秒

Q 下の立方体の見取図の点線をなぞって完成させ，次に黒点（●）を通る平面で立方体を切断したときの切り口の図をかきこみなさい。また，切り口の図形の名前も答えなさい。

(1)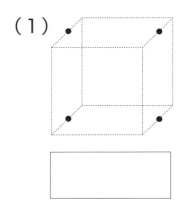

(2)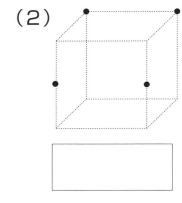

(3)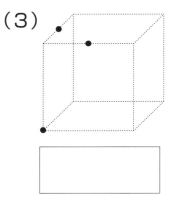

(4)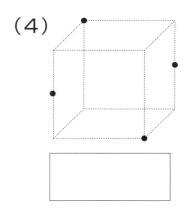

(5)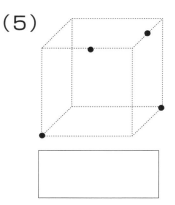

(6)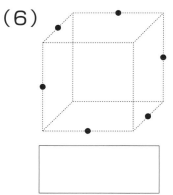

 図形イメージのうち，「立体図形」に関する感覚を育成します。「切断」イメージを強化します。
立体を切断する前と，切断した後の2つの図形がイメージできるようになるとより高度なイメージができます。

55 点描写

<ruby>点<rt>てん</rt></ruby> <ruby>描<rt>びょう</rt></ruby> <ruby>写<rt>しゃ</rt></ruby>

目標時間は1分30秒

分　　秒

Q <ruby>左<rt>ひだり</rt></ruby>の<ruby>図<rt>ず</rt></ruby>と<ruby>右<rt>みぎ</rt></ruby>の<ruby>図<rt>ず</rt></ruby>が<ruby>同<rt>おな</rt></ruby>じになるように，<ruby>点<rt>てん</rt></ruby>を<ruby>結<rt>むす</rt></ruby>びなさい。

（1）

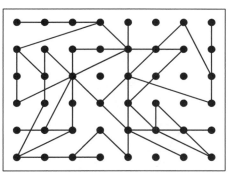 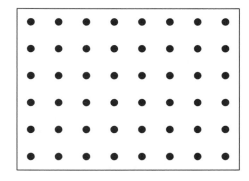

（2）

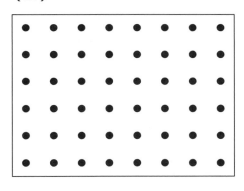 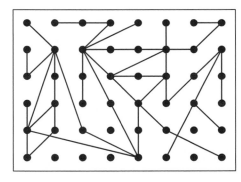

（3）

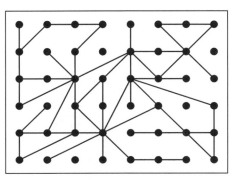 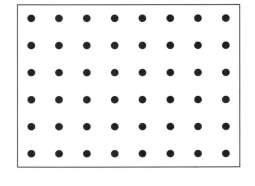

 図形イメージを強化する「基盤トレーニング」です。位置や形を丁寧にかくことを意識しましょう。
線が曲がったり，はみ出したりしないように注意しながら，丁寧に，速くできるように練習しましょう。

56 タ　イ　ル

Q 斜線（しゃせん）で表（あらわ）された図形（ずけい）の広（ひろ）さは，タイル何枚分（なんまいぶん）ですか。『三角形（さんかくけい）の面積（めんせき）の公式（こうしき）』を利用（りよう）しないで求（もと）めましょう。

（1）

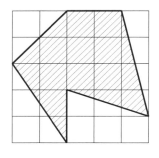

　　　　　枚分

（2）

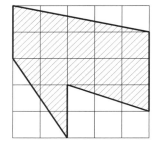

　　　　　枚分

（3）

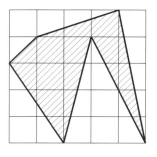

　　　　　枚分

（4）

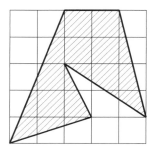

　　　　　枚分

図形イメージのうち，「平面図形」と「数量」に関する感覚を育成します。三角形が四角形の半分であることを確認しましょう。三角形と四角形の関係に気づくと，より図形の理解が深まり，図形構成がイメージしやすくなります。

〔　　月　　日〕

57 サイコロころころ

目標時間は5分

分　　秒

Q 向かい合う面の和が7のサイコロを,
図のような位置から道にそって転がしていくと,
斜線の位置ではサイコロの上の面の数はいくつですか。

(1)

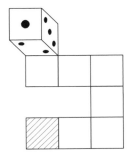

(2)

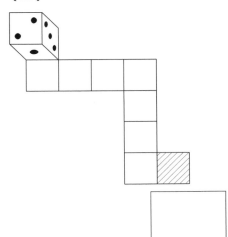

(3)

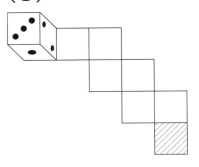

(4)

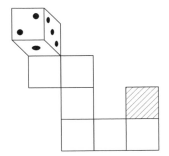

 図形イメージのうち,「立体図形」に関する感覚を育成します。この分野は「立体回転」イメージを強化します。
立体図形の回転は高度なイメージが必要ですが, 回転する様子を分析するための基本になります。難しい場
合は実物で研究しましょう。

58 穴あけ

目標時間は5分

分　　秒

Q 64個の小さい立方体を積み重ねて，大きい立方体をつくり，この大きい立方体に向かい側までつき抜ける穴を黒丸の位置からあけることにします。
このとき，穴があいた小さい立方体は何個できますか。

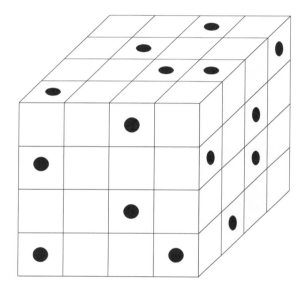

 個

59 点描写

目標時間は1分30秒

分　　秒

Q 左の図と右の図が同じになるように，点を結びなさい。

（1）

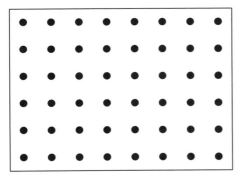 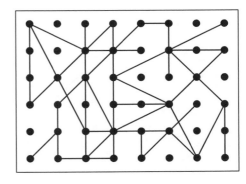

（2）

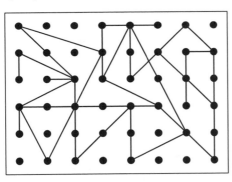 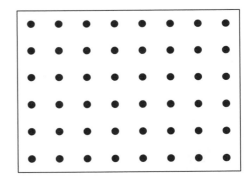

（3）

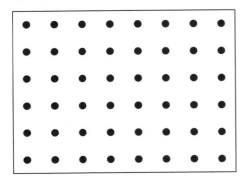 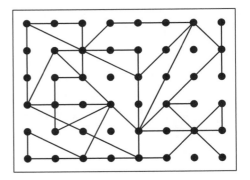

 図形イメージを強化する「基盤トレーニング」です。位置や形を丁寧にかくことを意識しましょう。
線が曲がったり，はみ出したりしないように注意しながら，丁寧に，速くできるように練習しましょう。

60 タ イ ル

Q 斜線で表された図形の広さは，タイル何枚分ですか。『三角形の面積の公式』を利用しないで求めましょう。

(1)

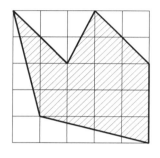

□ 枚分

(2)

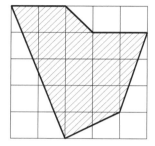

□ 枚分

(3)

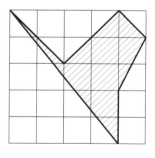

□ 枚分

(4)

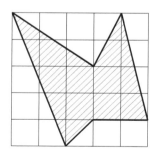

□ 枚分

図形イメージのうち，「平面図形」と「数量」に関する感覚を育成します。三角形が四角形の半分であることを確認しましょう。三角形と四角形の関係に気づくと，より図形の理解が深まり，図形構成がイメージしやすくなります。

61 サイコロころころ

Q 向かい合う面の和が7のサイコロを,
図のような位置から道にそって転がしていくと,
斜線の位置ではサイコロの上の面の数はいくつですか。

（1）

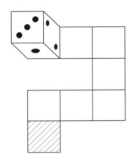

（2）

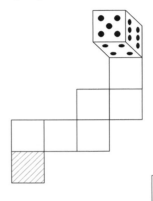

（3）

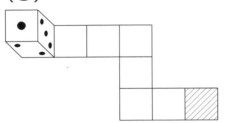

（4）

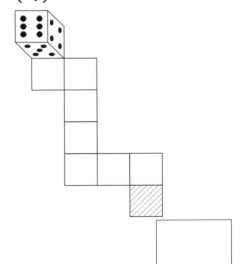

図形イメージのうち,「立体図形」に関する感覚を育成します。この分野は「立体回転」イメージを強化します。
立体図形の回転は高度なイメージが必要ですが,回転する様子を分析するための基本になります。難しい場
合は実物で研究しましょう。

62 穴あけ

Q 64個の小さい立方体を積み重ねて，大きい立方体をつくり，この大きい立方体に向かい側までつき抜ける穴を黒丸の位置からあけることにします。

このとき，穴があいた小さい立方体は何個できますか。

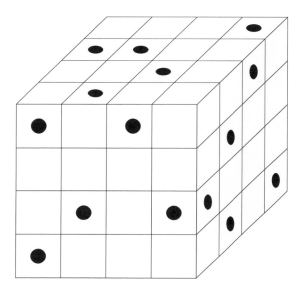

 個

空間把握 中　級　パズル道場検定

1 矢印の方向と真上から見た図をかきなさい。

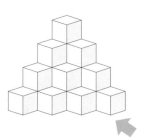

矢印の方向

真上

2 積み木をならべます。それぞれ積み木は何個ありますか。
（複雑な形は，頭の中でかぞえやすい形に移動してからかぞえましょう。）

（1）
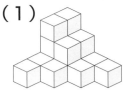

　個

（2）
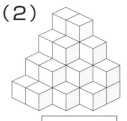

　個

（3）
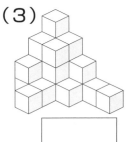

　個

3 自分が矢印の方向を向いて立っているとします。そしてそのまま，まわりの面が動いて箱の中に閉じこめられる状態になったとき，それぞれの面がどこに来るかを考え，右の図のようにかきこみなさい。頭の中で考えられない人は，はさみで切って実際にやってみてください。

	前	
左	⬆	右
	後	
	上	

（1）
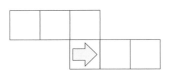

（2）
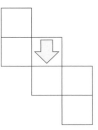

（3）
（図）

4 向かい合う面の和が7のさいころを，
図のような位置から道にそって転がしていくと，
斜線の位置ではさいころの上の面の数はいくつですか。

（1）

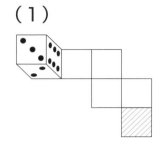

（2）

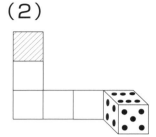

5 64個の小さい立方体を積み重ねて，大きい立方体をつくり，
この大きい立方体に向かい側までつき抜ける穴を黒丸の位置
からあけることにします。
このとき，穴があいた小さい立方体は何個できますか。

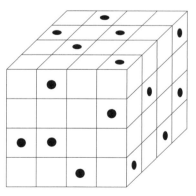

 個

1　（1）りゃく　　（2）りゃく　　（3）りゃく

2　2

3　（1）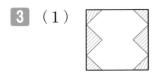

　　（2）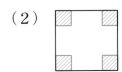

　　（3）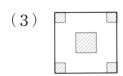

　　（4）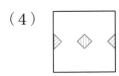

4 （1）　　　　　　　　　　（2）

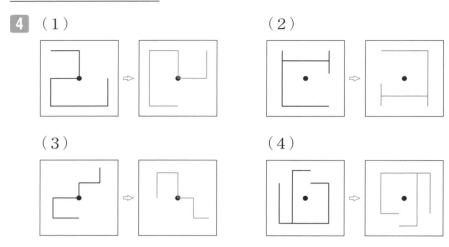

5 （1）5枚分　　（2）12枚分　　（3）10枚分

【注記】　同様の考え方であれば，上記と異なる方法でも構いません。ただし，『三角形の面
積の公式』を利用すると，ここで育成される図形のセンスが育成されませんので，
利用しないでください。

6 （1）　　　　　　　　　　（2）

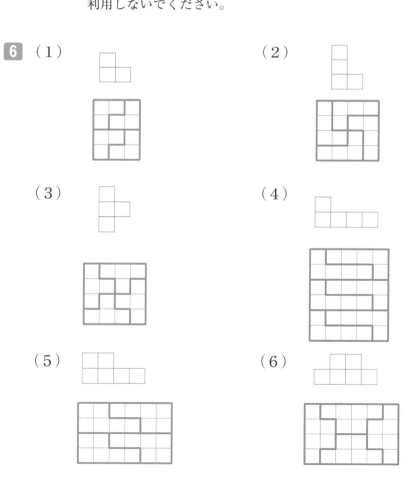

7 （1）
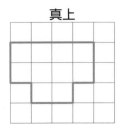

（2）
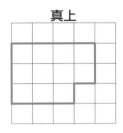

8 りゃく

9　（1）13 個　　（2）15 個　　（3）18 個　　（4）19 個　　（5）23 個　　（6）21 個
　　（7）18 個　　（8）24 個　　（9）29 個　　（10）24 個　　（11）26 個　　（12）26 個

10　（1）

（2）

（3）

（4）

（5）

（6）

11 （1）1　　（2）1　　（3）4　　（4）2

12 （1）14 個　　（2）13 個

13 りゃく

14 3

15 （1）

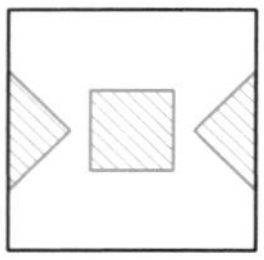

（2）

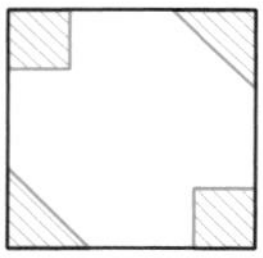

（3）

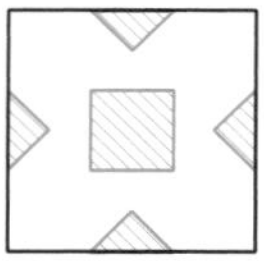

（4）

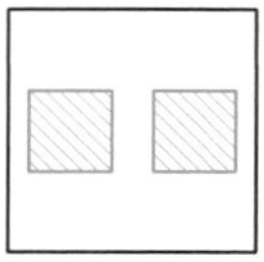

16 （1）　　　　　　　　　　　　　（2）

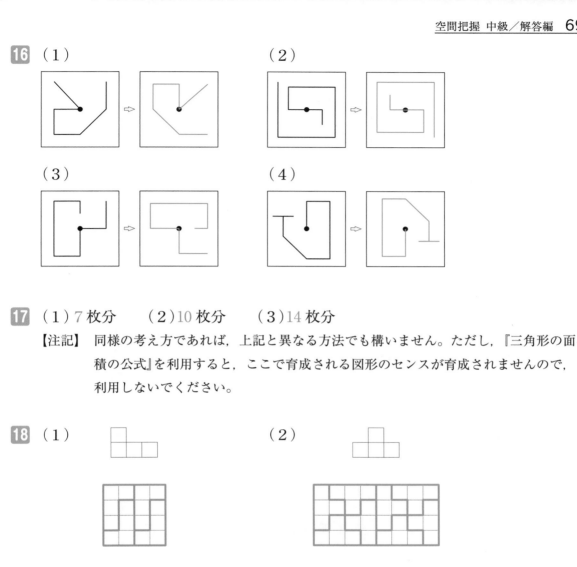

17 （1）7枚分　　（2）10枚分　　（3）14枚分
【注記】　同様の考え方であれば，上記と異なる方法でも構いません。ただし，『三角形の面積の公式』を利用すると，ここで育成される図形のセンスが育成されませんので，利用しないでください。

18 （1）

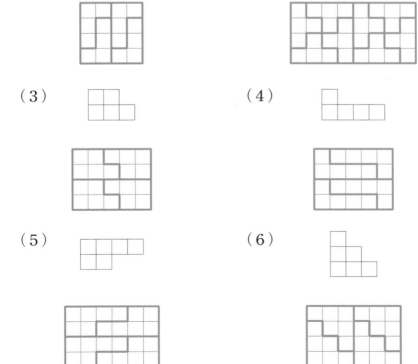

19　（1）

真上 ／ 正面

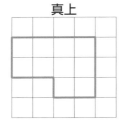

（2）

真上 ／ 正面

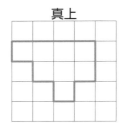

20　りゃく

21　（1）15 個　　（2）16 個　　（3）19 個　　（4）20 個　　（5）22 個　　（6）18 個

　　　（7）19 個　　（8）17 個　　（9）21 個　　（10）24 個　　（11）25 個　　（12）20 個

22　（1）

```
  前
右上左
  後
  ⇩
```

（2）

```
⇦
左後右前
上
```

（3）

```
前
⇧右上左
  後
```

（4）

```
⇨
右前
  上左
  　後
```

（5）

```
前左後
  上右⇩
```

（6）

```
    前
⇧右上
  後左
```

23　（1）4　　（2）3　　（3）1　　（4）2

24 （1）13個　　（2）13個

25 りゃく

26 1

27 2

28 （1）

（2）

（3）

（4）

29 5

（1）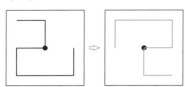　　（2）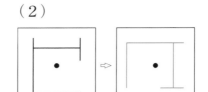

（3）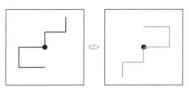　　（4）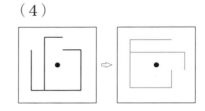

31 （1）13 枚分　　（2）12 枚分　　（3）15 枚分　　（4）11 枚分

32 （1）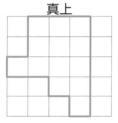

（2）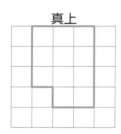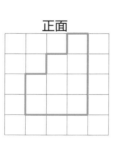

33 （1）18 個　　（2）16 個　　（3）15 個　　（4）19 個　　（5）23 個　　（6）21 個
（7）18 個　　（8）24 個　　（9）29 個　　（10）28 個　　（11）26 個　　（12）23 個

34 （1）5　　（2）4

35（1） 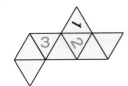 （2） 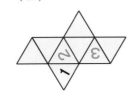 （3）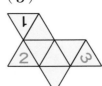

36（1）2 （2）1 （3）5 （4）3

37 44 個

38（1）2 （2）4

39（1）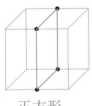

正方形

（2）

長方形

（3）

二等辺三角形

（4）

ひし形

（5）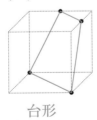

台形
（等脚台形）

（6）

正六角形

40 りゃく

41 2

42 3

43 （1）

（2）

（3）

（4）

44 3

45 （1）　　　　　　　　　（2）

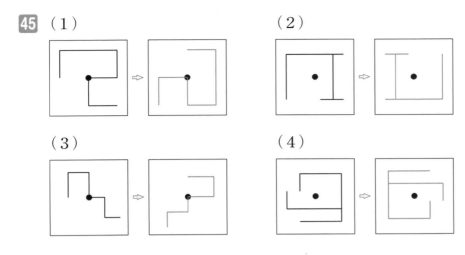

（3）　　　　　　　　　（4）

46　（1）14枚分　　（2）16枚分　　（3）12枚分　　（4）14枚分

47　（1）

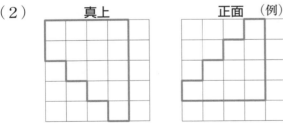

（2）

48　（1）13個　　（2）15個　　（3）20個　　（4）18個　　（5）22個　　（6）21個

（7）22個　　（8）20個　　（9）20個　　（10）28個　　（11）30個　　（12）27個

49　（1）4　　（2）3

50 （1）

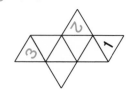

（2）

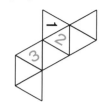

（3）

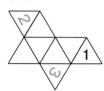

51 （1）4　　（2）1　　（3）2　　（4）4

52 46 個

53 （1）4　　（2）3

54 （1）

正方形

（2）

長方形

（3）

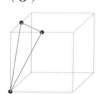

二等辺三角形

（4）

ひし形

（5）

台形
（等脚台形）

（6）

正六角形

55 りゃく

56 （1）13.5 枚分　　（2）15 枚分　　（3）10.5 枚分　　（4）12.5 枚分

57 （1）2　　（2）6　　（3）5　　（4）5

58 44 個

59 りゃく

60 （1）15 枚分　　（2）14 枚分　　（3）7.5 枚分　　（4）11.5 枚分

61 （1）1　　（2）1　　（3）3　　（4）3

62 44 個

パズル道場検定

1

矢印の方向　　　　　真上

2　（1）16 個　　　（2）29 個　　　（3）22 個

3　（1）

（2）　　　　　（3）

4　（1）3　　　（2）3

5　44 個

「パズル道場検定」が時間内でできたときは, 次ペー
ジの天才脳ドリル空間把握中級「認定証」を授与
します。おめでとうございます。

認定証

空間把握 中級

_____ 殿

あなたはパズル道場検定におい
て、空間把握コースの中級に合
格しました。ここにその努力を
たたえ認定証を授与します。

　　　　　　　年　　月
　　　　　パズル道場

　　　　山下善徳・橋本龍吾